# NAPOLEON HILL

## LIBERTE-SE DOS SEUS
## MEDOS

"Nunca existiu um m[...]
para pioneiros d[...]

Título original: *Freedom from your fears*
Copyright © 2020 by Napoleon Hill / Fundação Napoleon Hill
Liberte-se dos seus medos
1ª edição: Setembro 2022
Direitos reservados desta edição: CDG Edições e Publicações
O conteúdo desta obra é de total responsabilidade do autor
e não reflete necessariamente a opinião da editora.

**Autores:**
Napoleon Hill
Fundação Napoleon Hill

**Tradução:**
Ricardo Pinho

**Preparação de texto:**
3GB Consulting

**Revisão:**
Rebeca Michelotti

**Projeto gráfico, diagramação e capa:**
Jéssica Wendy

**DADOS INTERNACIONAIS DE CATALOGAÇÃO NA PUBLICAÇÃO (CIP)**

Hill, Napoleon
  Liberte-se dos seus medos : a chave para uma vida de sucesso / Napoleon Hill ; Fundação Napoleon Hill ; tradução de Ricardo Pinho. — Porto Alegre : Citadel, 2022.
  144 p.

  ISBN 978-65-5047-078-4
  Título original: Freedom from your fears

  1. Desenvolvimento pessoal 2. Sucesso 3. Finanças I. Título II. Pinho, Ricardo II. Fundação Napoleon Hill

22-4557                                                    CDD - 158.1

Angélica Ilacqua - Bibliotecária - CRB-8/7057

**Produção editorial e distribuição:**

contato@citadel.com.br
www.citadeleditora.com.br

# NAPOLEON HILL

# LIBERTE-SE DOS SEUS MEDOS

*A chave para uma vida de sucesso*

**Tradução:**
Ricardo Pinho

2022

**S**e já houve um momento nesse país no qual homens e mulheres precisam reconhecer o poder de suas mentes, em que necessitam superar frustrações e medos, esse momento é agora. Existe muito medo disseminado, muitas pessoas falando sobre depressão. (...) Vamos colocar nossas mentes, cada um e todos nós como indivíduos, fixadas numa meta definida tão grande e extraordinária que não teremos tempo de pensar sobre essas coisas que não queremos.

– Napoleon Hill, "Maker of Miracle Men" (Criador de homens milagrosos), 1925

# Sumário

| | |
|---|---|
| **Capítulo 1 – O medo é uma atitude mental** | **11** |
| A atitude mental importa | 14 |
| A três passos do ouro: a parábola sobre "aderência" | 22 |
| Tempos nunca vistos | 25 |
| Conheça o seu "outro eu" | 28 |
| Reivindique sua coragem | 33 |
| | |
| **Capítulo 2 – Descobrindo oportunidade na derrota temporária** | **35** |
| A semente na tempestade | 38 |
| Fé | 43 |
| Fórmula para a fé | 48 |
| Reivindique sua coragem | 50 |

| | |
|---|---|
| **Capítulo 3 – Medoenza e Preocupatite** | **53** |
| Quando a vulnerabilidade é perigosa | 58 |
| Os sete fantasmas do medo | 61 |
| Medo da pobreza | 63 |
| Medo de críticas | 66 |
| Medo da saúde fraca | 68 |
| Medo de perder o amor | 72 |
| Medo de perder a liberdade | 73 |
| Medo da velhice | 74 |
| Medo da morte | 75 |
| A infecção secundária da Preocupatite | 77 |
| Reivindique sua coragem | 78 |
| | |
| **Capítulo 4 – Entrando na correnteza do poder** | **79** |
| Do hábito para a atitude mental | 82 |
| O lado certo do rio | 87 |
| Reivindique sua coragem | 91 |
| | |
| **Capítulo 5 – A energia na mente mestra** | **93** |
| Prosperidade por meio da parceria | 97 |
| Reivindique sua coragem | 102 |

## Apêndice 103

FÉ

## Questionário de autoanálise: 109

O quão suscetível você é a influências negativas?

## Sobre o autor 135

Napoleon Hill

## O propósito da Fundação Napoleon Hill é ... 139

Capítulo 1

# O medo é uma atitude mental

*Antes de controlar as condições,*
*você precisa controlar*
*a si mesmo.*

– Napoleon Hill, *Quem pensa enriquece*

Não existe emoção mais persistente que o medo. Pode nos fazer sentir como se o chão tivesse sido tirado debaixo de nós e que estamos girando sem controle. Pode nos fazer questionar nosso entendimento sobre nós mesmos e sobre o mundo. Ele se enraíza profundamente no subconsciente e escurece nossos pensamentos dominantes, confundindo nossas percepções e, por sua vez, nossas ações. Entretanto, o medo é simplesmente um sentimento – um sentimento que pode ser dominado e canalizado para trabalhar por nós, ao invés de contra nós.

Repleto de conselhos de Napoleon Hill, cujo livro divisor de águas *Quem pensa enriquece* ajudou a erguer uma geração do desânimo e da paralisia causados pela

*Liberte-se dos seus medos*

depressão e pela guerra mundial e desde então fez mais milionários e influenciadores do que qualquer outro, este livro o ajudará a ampliar sua perspectiva de modo que você possa retomar o controle da sua vida. A perspectiva significa a diferença entre a sua derrota ser definitiva ou eventual – entre você permitir que o medo o afaste dos seus sonhos e usá-lo como combustível para segui-los obstinadamente.

> *Perspectiva significa a diferença entre a derrota ser definitiva ou eventual.*

## A ATITUDE MENTAL IMPORTA

Quando experimentamos dificuldades, é fácil olhar à volta para aqueles que "chegaram lá" e assumir que a estrada deles para o sucesso não foi pavimentada com obstáculos parecidos, ou piores, do que os nossos. Somente com o resultado final de sucesso visível

*Napoleon Hill*

para nós, nos ressentimos da "boa sorte" dos outros e lamentamos nosso próprio "infortúnio". Justificamos nossa indecisão e aceitação da derrota como resultado do "destino" ou de circunstâncias fora do nosso controle, quando, na realidade, esses são álibis que escondem medos bem enraizados. Desafiando nossa perspectiva estreita, Napoleon Hill escreveu em *A chave mestra das riquezas:*

Aqueles que têm sucesso normalmente são chamados de "sortudos". Para deixar claro, eles são sortudos! Porém, aprenda os fatos e verá que a "sorte" consiste naquele poder secreto que vem de dentro, que eles aplicaram por meio de uma Atitude Mental Positiva; a determinação de seguir a estrada da Fé, em vez da estrada do Medo e da autolimitação.

O poder que vem de dentro não reconhece tal realidade como barreiras permanentes.

Ele converte a derrota num desafio de grande esforço.

Ele remove as limitações que nos impomos, como o medo e a dúvida.

*Liberte-se dos seus medos*

E, acima de tudo, lembremo-nos de que ele não deixa no histórico de um homem qualquer marca negativa que não possa ser apagada.

Se encarado com o poder que vem de dentro, todo dia traz uma oportunidade recém-nascida para a conquista individual, que não precisa ser, de forma alguma, limitada pelo fracasso de ontem.

Ele não favorece nenhuma raça ou credo e não está limitado por qualquer tipo de consistência arbitrária compelindo o homem a permanecer na pobreza porque nasceu na pobreza.[1]

Conforme Hill descobriu após 25 anos entrevistando e estudando a vida de mais de quinhentos empresários americanos de maior sucesso e líderes pensadores, quase todas as pessoas de grandes conquistas, de fato, passaram por significativos contratempos em seus caminhos para o sucesso. Aquilo que separa aqueles que "chegaram lá" daqueles que sucumbiram pela derrota ou mediocridade não são as vantagens pessoais como educação, conexão e

---

1. Napoleon Hill, *A chave mestra das riquezas* (1945; repr., Shippensburg, PA: Sound Wisdom, 2018), 176–77.

dinheiro, mas, isto sim, a habilidade de perseverar através dos desafios e de se manter firme na busca de seus objetivos principais definidos. Isso se resume a um elemento-chave: *a atitude mental*. Assim nasceu uma ciência de filosofia de sucesso baseada num ponto central: *Seus pensamentos determinam os seus resultados.*

James J. Hill, o executivo ferroviário responsável pelo sistema ferroviário transcontinental; Andrew Carnegie, o grande magnata do aço; Henry Ford, o pioneiro do automóvel; Lee De Forest, o "pai do rádio"; e o renomado inventor Thomas A. Edison – reverenciamos esses gigantes da indústria, admirando-os por sua genialidade e aparente boa sorte. Mas, como Hill explica, a genialidade não é uma qualidade com a qual algumas pessoas nascem e que outros devem fazer sem tê-la. De acordo com Hill, não é nada mais do que a aplicação do "poder secreto que vem de dentro, que está disponível a todos que o abraçarem e o utilizarem".[2] Ele continua:

---

2. Ibid., 173.

Nós todos conhecemos as conquistas desses grandes líderes...

Mas, infelizmente, nem todos nós reconhecemos as desvantagens sob as quais cada um deles trabalhou, os obstáculos que tiveram de superar e o espírito de fé ativa com o qual eles conduziram seus trabalhos.

Contudo, disto podemos ter certeza: suas conquistas foram nas proporções exatas das emergências que eles tiveram de superar![3]

Fé, autoconfiança, criatividade – esses três atributos, todos interligados, derivam de uma fonte: uma *atitude mental positiva*, uma característica crucial que assegura o sucesso dos maiores realizadores do mundo. Como Hill estabelece:

Quando você cruza com as circunstâncias que elevam um homem ao topo e condenam outros à penúria e ao desejo, a probabilidade é que suas posições tão largamente separadas reflitam suas respectivas atitudes

---

3. Ibid.

mentais. O homem mais elevado escolhe o elevado caminho da Fé, o homem baixo escolhe o caminho baixo do Medo, e a educação, a experiência e as habilidades pessoais são questões de importância secundária.[4]

Em tempos de grandes dificuldades, é fácil ficar desencorajado e permitir que nossa mente seja consumida por medos, preocupações e dúvidas. O desafio é bem maior quando estamos cercados pelo ruído social que se alimenta do pânico e da passividade e assim os nutre. Ruídos da mídia, pessimistas e até nossos bem-intencionados entes queridos podem nos distrair do nosso propósito, fazendo-nos questionar nossas capacidades e desconfiar das nossas intuições, e nos sobrecarregar até a inação. Quando estamos sendo constantemente bombardeados pela negatividade, sentimo-nos desamparados, e nosso desamparo se transforma em um círculo vicioso de pensamento sobre o pior cenário. Quando isso acontece, nossa mente – o recurso mais importante que temos como seres humanos – trabalha contra nós. Se

---

4. Ibid., 174.

*Liberte-se dos seus medos*

assumirmos o controle de nossos pensamentos, poderemos assumir o controle de nossas vidas, e nos tornaremos o "mestre do [nosso] destino", como diz o famoso poema de William Ernest Henley.[5]

Assumir o controle de nossos pensamentos começa com o reenquadramento de nossa perspectiva sobre a adversidade, como exploraremos mais profundamente no Capítulo 2. O fracasso normalmente acontece por nenhuma outra razão senão pela desistência da pessoa quando ela se depara com uma derrota temporária. Como Hill explica, "ninguém está derrotado até que a derrota seja aceita como uma realidade".[6] A derrota, na forma de planos descarrilhados, disfarça-se como fracasso e se aloja nas mentes daqueles a quem faltam autoconfiança e fé como algo final, que não pode ser superado. Entretanto, a verdadeira grandeza está no outro lado da derrota temporária. Os que conseguem chegar ao outro lado sabem que nada se compara com a força, a

---

5. William Ernest Henley, "Invictus" (Invictos), *Poetry Foundation*, 2020. Disponível em: http://www.https://www.poetryfoundation.org/poems/51642/invictus.
6. Napoleon Hill, *Quem pensa enriquece* (1937; repr., Shippensburg, PA: Sound Wisdom, 2016), 50.

genialidade e a determinação que resultam do enfrentamento das adversidades. As pesquisas de Hill revelaram esse fato: "Mais de quinhentos dos homens de maior sucesso que a América já conheceu disseram ao autor que o seu maior sucesso veio de um passo para *além* do ponto no qual a derrota os encontrara".[7] Este livro o ajudará a superar seus medos de modo que você possa chegar ao outro lado do fracasso.

> *A verdadeira grandeza está no outro lado da derrota temporária.*

---

7. Ibid., 23.

*Liberte-se dos seus medos*

## A TRÊS PASSOS DO OURO: A PARÁBOLA SOBRE "ADERÊNCIA"

Em *Quem pensa enriquece*, Hill conta a história de R. U. Darby, um garimpeiro que parou a três passos da riqueza, para ilustrar o valor do que ele chama de "aderência" – a habilidade de persistir no seu objetivo apesar dos desafios.

O tio de Darby foi para o oeste durante a corrida do ouro e encontrou o metal precioso. Não tendo maquinário para mineração, mandou Darby arrecadar fundos com seus parentes e vizinhos. Após obter o dinheiro e comprar o equipamento necessário, Darby e seu tio retornaram à mina e escavaram o equivalente a um carro inteiro de ouro. Contudo, conforme continuaram a escavar, não conseguiram localizar mais nenhum minério. Sentindo-se derrotado, Darby e seu tio venderam o equipamento para um ferro-velho por uns cem dólares.

O dono do ferro-velho contratou um engenheiro de mineração, que acessou a mina e lhe informou que os mineiros anteriores fracassaram porque não entendiam que os veios de ouro normalmente se formam ao longo de linhas falhas. O dono do ferro-velho descobriu que os veios de ouro que os Darby haviam originalmente raspado estavam a apenas três passos de onde eles haviam parado de perfurar. Como não se sentiu desencorajado pela derrota e, pelo contrário, buscou o aconselhamento de um especialista, o novo dono acabou descobrindo milhões de dólares em minério de ouro.

Ao invés de se afundar na má sorte, Darby usou disso para conduzir seu sucesso no setor de seguro de vida. Ele entendeu que a real fonte de riqueza é o pensamento de uma pessoa, que deve ser marcado por persistência, desejo e clareza de propósito. Darby pagou todas as suas dívidas aos credores e vendeu milhares de dólares em seguros de vida todos os anos. Ele descobriu o que os entrevistados de Hill já tinham descoberto: que o sucesso fenomenal normalmente estará a apenas um passo além do ponto no qual a derrota o encontrar.

Com essa história em mente, reconheça o incrível poder da mente humana de reformular as mensagens que recebemos e retornamos para o universo. Conforme vamos explorar no próximo capítulo, esse reenquadramento nos permite não só recuperar o foco, mas também usar

*Liberte-se dos seus medos*

a Lei da Atração a nosso favor: emanar vibrações positivas na forma de pensamentos construtivos atrai oportunidades na nossa direção e mobiliza nosso subconsciente a trabalhar em conjunção com nossa imaginação e Inteligência Infinita (expressão de Hill para a força criativa controlando o universo) a fim de identificar um plano de ação definido para traduzir nossos desejos em realidade.

O fracasso não tem que ser decisivo. Mesmo que Darby inicialmente tenha se entregado à derrota, ele foi capaz de ajustar sua perspectiva e se tornar um enorme sucesso como vendedor de seguros. Não existe problema tão grande que justifique se dobrar às circunstâncias. Explore o poder de seus pensamentos para começar a ativamente construir a vida de sucesso que você vislumbra para si mesmo, *mesmo quando o momento não parecer favorável para tais tentativas.* No fundo da Grande Depressão, Hill reconheceu a grandeza reservada para indivíduos e organizações que poderiam "transformar-se", exclamando "Nunca... se teve uma oportunidade tão boa para sonhadores práticos como existe agora... Uma nova corrida está prestes a ser disputada. As apostas representam grandes fortunas que serão acumuladas dentro dos próximos dez anos".[8]

## TEMPOS NUNCA VISTOS

Tendo como subtítulo "Para homens e mulheres que ressentem a pobreza", a edição original de 1937 de *Quem pensa enriquece* revela seus motivos: Hill escreveu para ajudar homens e mulheres a terem sucesso mesmo em face de circunstâncias difíceis, particularmente aquelas trazidas pela Grande Depressão. Ao compartilhar os princípios do sucesso que construíram as fortunas dos milionários americanos que se fizeram sozinhos, ele acreditava que qualquer pessoa – independentemente do seu nível de educação ou experiência – poderia identificar seu propósito maior e usá-lo para obter uma grande fortuna. Ele escreveu:

Essa mensagem está indo para o mundo ao final da mais longa e, talvez, mais devastadora depressão que a

---

8. Ibid., 44–45.

*Liberte-se dos seus medos*

América jamais conheceu. É razoável presumir que a mensagem chame a atenção daqueles que foram feridos pela depressão, daqueles que perderam suas fortunas, de outros que perderam suas posições e de grande número daqueles que devem reorganizar seus planos e preparar seu retorno. Para todos esses, desejo transmitir o pensamento de que todo sucesso, não importa qual possa ser sua natureza ou propósito, deve começar com um intenso DESEJO ARDENTE por algo definido.[9]

Se você está passando por um momento difícil, pode parecer impossível se colocar num local de esperança. E para isso Hill falaria: *você não deveria*. Ter esperança e desejar são indícios de falta de fé e inação. Em vez disso, você deveria focar novamente seus pensamentos para a certeza de que irá se recuperar e alcançará seu objetivo principal definido. Tudo de que precisa são novos planos, que você pode conceber visualizando a fruição dos seus desejos e instruindo seu subconsciente a encontrar meios para reivindicar o que já foi disponibilizado para

---

9. Ibid., 65.

você. Entender que tudo que você mais deseja na vida é seu para você pegar; que você está sendo impedido somente pelos seus medos, indecisões e falta de planos apropriados para alcançar o que deseja.

Existem oportunidades incríveis para se encontrar em tempos de desafios – você simplesmente tem que abrir a mente e aumentar sua perspectiva de modo que possa reconhecê-las. Circunstâncias que fizeram pessoas comuns recuarem lançaram grandes indivíduos para as alturas de proeminência. Na palestra "Maker of Miracle Men" (Criador de homens milagrosos), Hill assevera que

quando uma grande crise envolve o mundo, sempre surge um desconhecido com uma fórmula para dissolver aquela crise – como Abraham Lincoln, por exemplo, numa época de necessidade, quando este país estava prestes a ser dividido em pedaços por problemas internos; por George Washington, antecedendo Lincoln; por Franklin D. Roosevelt, num tempo em que as pessoas

*Liberte-se dos seus medos*

estavam marcadas pelo medo e ficavam em filas enormes para sacar seu dinheiro dos bancos.[10]

Lembramo-nos desses indivíduos porque eles não deixaram o medo afastá-los do seu propósito maior definido. Na verdade, eles reconheceram que os testes que enfrentaram eram, realmente, oportunidades disfarçadas. Em vez de se entregar para o sentimento de desamparo, incerteza, sobrecarga e medo, eles mudaram o canal no qual seus pensamentos estavam sintonizados e, fazendo isso, mudaram sua perspectiva.

## CONHEÇA O SEU "OUTRO EU"

Obstáculos não só apresentam oportunidades na forma de planos práticos, eles também oferecem a oportunidade de construir determinação e de adquirir força pessoal. Essas oportunidades surgem da maneira mais profunda quando

---

10. Napoleon Hill, "Maker of Miracle Men" (Criador de homens milagrosos), em *Greatest Speeches* (Os melhores discursos), Shippensburg, PA: Sound Wisdom, 2016, 208.

encontramos o que Hill chama de "outro eu". Dentro de cada pessoa, Hill conjectura, existem dois seres:

> Um é uma espécie negativa de pessoa que pensa, se movimenta e vive numa atmosfera de medo, dúvida, pobreza e doença. Esse ser espera fracasso e raramente é desapontado. Ele pensa nas circunstâncias da vida que você não quer, mas se vê forçado a aceitar – pobreza, ganância, superstição, medo, dúvida, preocupação e doença física.
>
> E o segundo é o seu "outro eu", um tipo positivo de pessoa que pensa em termos de abundância, saúde plena, amor e amizade, sucesso pessoal, visão criativa, servir aos outros, e que o guia infalivelmente para a realização de todas essas bênçãos.[11]

Quando você confronta seu outro eu durante um tempo de crise, isso normalmente marca um momento de reviravolta na sua vida: descobrir sua habilidade incrível de transformar suas emoções mais fortes em crenças

---

11. Napoleon Hill, *A chave mestra das riquezas* (1945; repr., Shippensburg, PA: Sound Wisdom, 2018), 17.

*Liberte-se dos seus medos*

construtivas modifica completamente a dinâmica de sua jornada para o sucesso. Medo, estresse, incerteza – essas emoções, quando reconhecidas como tais, podem ser combustíveis para o seu sucesso. Escrevendo para aqueles que resistiram à Grande Depressão, Hill diz:

> Você foi desapontado, foi derrotado durante a depressão, sentiu o grande coração dentro de você ser esmagado até sangrar. Tome coragem, porque essas experiências temperaram o metal espiritual do qual você é feito – elas são bens de um valor incomparável.
>
> Lembre-se, também, de que todos que alcançaram sucesso na vida tiveram um começo ruim e passam por diversas dificuldades de cortar o coração antes de "chegarem lá". O momento da virada nas vidas daqueles que tiveram sucesso normalmente vem de alguma crise, por meio da qual eles foram apresentados aos seus "outros eus".[12]

---

12. Napoleon Hill, *Quem pensa enriquece* (1937; repr., Shippensburg, PA: Sound Wisdom, 2016), 49.

Se você está incomodado por desafios, esse é seu momento de deixar sua marca no mundo. Passe por esse barulho e descasque as camadas do seu ser para encontrar seu "outro eu", que está esperando ansiosamente pelo sucesso e alegria reservados para você. Somente quando estiver num estado mental positivo e de autoconfiança é que você receberá os meios para transformar seus desejos em realidade. O medo lhe rouba essas oportunidades, tirando a sua atitude mental dos trilhos.

> **O medo lhe rouba essas oportunidades, tirando a sua atitude mental dos trilhos.**

Lembre-se de que o que separa o indivíduo com grandes histórias de sucesso daqueles que caem na obscuridade é a forma como eles respondem à adversidade. Você usará o medo e os desafios que enfrenta para criar um impulso na direção da realização dos seus sonhos ou

*Liberte-se dos seus medos*

os deixará fazerem com que você retroceda? Agora é o momento para tomar coragem e não desistir. Afinal de contas, "esse mundo mudado requer sonhadores práticos que possam, *e que irão*, colocar seus sonhos em ações".[13]

É o seu momento de mostrar ao mundo do que você é feito. Você chegou ao seu momento da virada.

---

13. Ibid., 45.

*Napoleon Hill*

## REIVINDIQUE SUA CORAGEM

Com a perspectiva do seu "outro eu", responda às seguintes perguntas:

1.  O que você espera da vida?

*Liberte-se dos seus medos*

2. Que grandiosidade está guardada para você?

Capítulo 2

# Descobrindo oportunidade na derrota temporária

*Cada fracasso traz com
ele a semente de uma
vantagem equivalente.*

– Napoleon Hill, *Quem pensa enriquece*

O capítulo anterior enfatizou a importância do seu estado mental para determinar se o medo alimentará – ou descarrilhará – sua jornada para o sucesso. Este capítulo irá mais fundo na psicologia do sucesso de modo que você possa construir sua fé e a autoconfiança de que precisa para superar os fantasmas do medo que o impedem de seguir abertamente seus sonhos, mesmo que eles envolvam riquezas materiais, realização profissional, desenvolvimento intelectual ou felicidade em relacionamentos. Quando você é capaz de reconhecer que todo obstáculo apresenta uma oportunidade para crescimento pessoal e profissional, então toda adversidade se torna vantajosa. Essa mudança mental é um passo em direção à consciência do sucesso e é a perspectiva de que você precisa para reconhecer as oportunidades que o universo manda na sua direção, principalmente durante momentos difíceis.

## A SEMENTE NA TEMPESTADE

Em *Quem pensa enriquece*, Hill descreve a filosofia de sucesso como "a arte de transformar a derrota em degraus de oportunidade".[14] Ele explica que a oportunidade "tem o enganoso hábito de infiltrar-se pela porta dos fundos, e normalmente vem disfarçada na forma de infortúnio ou de derrota temporária. Talvez", ele destaca, "seja por isso que tantos falham em reconhecer uma oportunidade".[15]

A maioria das pessoas, quando experimenta a adversidade, permite que seus pensamentos dominantes sejam marcados por medo, fatalismo e autopiedade. Elas focam no negativo, o que, por sua vez, eleva ao extremo os elementos negativos de suas vidas, traz

---

14. Napoleon Hill, *Quem pensa enriquece* (1937; repr., Shippensburg, PA: Sound Wisdom, 2016), 28.
15. Ibid., 20.

mais problemas e inibe o progresso em direção ao seu objetivo principal definido. Essa é uma atitude mental conhecida como consciência do fracasso, e é a rota mais segura para a derrota duradoura. Ao focar na percepção de nossas limitações e obstáculos, nosso subconsciente trabalha silenciosa e constantemente para assegurar que essas restrições se materializem nas nossas vidas.

Hill oferece o seguinte conselho crucial para mudar nossa perspectiva:

Não há dúvidas de que cada um experimentará decepções e contratempos passageiros. E também não há dúvidas de que tragédias coletivas – possivelmente na forma de guerra ou depressão – afligirão sua geração como fizeram com aqueles que vieram antes de você.

Mas aqui posso oferecer a você uma outra verdade da ciência do sucesso pessoal que tive o prazer de formular durante os últimos cinquenta anos: qual seja, que toda adversidade traz com ela uma semente de benefí-

*Liberte-se dos seus medos*

cio equivalente. Deixe-me repetir isso: toda adversidade traz com ela uma semente de benefício equivalente.[16]

Todos os indivíduos que chegaram ao ápice do sucesso se depararam com alguma forma de derrota temporária, mas permaneceram no jogo por tempo suficiente para encontrar o lado positivo da adversidade. Eles reconheceram que o medo e a frustração não têm de ser destrutivos; se canalizados apropriadamente, podem alimentar a jornada de uma pessoa para o sucesso. Como um artigo da *Harvard Business Review* afirma, "Para empreendedores" – e Hill adicionaria 'para todos os sonhadores práticos' –, "coragem não é a falta de medo, mas a habilidade de persistir a despeito dele".[17]

Um desses indivíduos é Alexander Graham Bell, inventor do telefone. Em 1857 Bell estava experimentando reaproveitar uma máquina chamada fonoautó-

---

16. Napoleon Hill, "The Five Essentials of Success" (Os cinco fundamentos do sucesso), em *Greatest Speeches* (Os melhores discursos), 153.

17. James Hayton e Gabriella Cacciotti, "How Fear Helps (and Hurts) Entrepreneurs" (Como o medo ajuda [e machuca] empreendedores), *Harvard Business Review*, 3 de Abril, 2018. Disponível em: http://hbr.org/2018/04/how-fear-helps-and-hurts-entrepreneurs.

grafo para revolucionar o aprendizado em inglês padrão para pessoas surdas. Apesar de seu "ouvido fonoautógrafo" não ter alcançado o objetivo desejado como recurso educacional, isso pavimentou o caminho para a criação do telefone, uma vez que permitiu que ele compreendesse o mecanismo do tímpano e construísse uma tecnologia de som que o copiava. Um pequeno contratempo levou a uma das mais significantes invenções do mundo moderno. Imagine se Bell tivesse descontinuado seu experimento sonoro porque seu mecanismo de escrever ditados não alcançara o objetivo!

Michael Jordan ilustra de forma similar que a derrota pode ser uma fonte de grande sucesso – uma oportunidade de distinguir você por meio de determinação e originalidade. O excepcional jogador de basquete não passou na seleção do time da universidade quando era estudante do segundo ano do ensino médio. Mais do que ver a derrota como decisiva, ele trabalhou incansavelmente para desenvolver suas habilidades enquanto estava no time júnior. Jordan não só conseguiu entrar no time da universidade no ano seguinte, como também prosseguiu até se tornar um dos maiores jogadores de

*Liberte-se dos seus medos*

basquete de todos os tempos. Além disso, por periodicamente fechar os olhos para imaginar a lista do time da universidade sem seu nome nela, usou o medo para impulsionar sua motivação a fim de superar os outros jogadores nos treinos e na performance. Mais uma vez é possível ver que o sucesso costuma estar do outro lado do medo e do fracasso. Porque "cada fracasso traz uma semente de sucesso equivalente".[18]

Mesmo a Grande Depressão, na mente de Hill, foi uma situação ideal para aqueles com espírito empreendedor e uma atitude mental positiva. De várias formas, a depressão aplainou o campo de jogo, redefinindo as chances para que qualquer pessoa alcançasse o sucesso. Como Hill escreve, "A 'depressão' foi uma benção disfarçada. Ela levou o mundo todo a um novo ponto de início que deu a cada indivíduo uma nova oportunidade".[19] O uso que Hill faz das aspas na palavra "depressão" demonstra que mesmo uma adversidade profunda pode ser reinterpretada como uma oportunidade para

---

18. Napoleon Hill, *Quem pensa enriquece* (1937; repr., Shippensburg, PA: Sound Wisdom, 2016), 47.
19. Ibid., 311.

o progresso. No meio de desafios, podemos escolher desistir ou superar. Mas, para sairmos da posição de medo e fracasso para uma de boa sorte, um ingrediente crucial é necessário: *fé*.

> ## No meio de desafios, podemos escolher desistir ou superar.

## FÉ

A fé protege a mente dos efeitos destrutivos do medo. Como Helen Keller disse, "A fé ativa não conhece medo... Ela rejeita o desespero".[20] Quando você encontra uma derrota temporária – e não se iluda, se estiver fazendo qualquer coisa que vale a pena, você passará por isso –, deve escolher entre fé e medo, pois eles não podem habitar na mente ao mesmo tempo. Como Hill explica:

---

20. Napoleon Hill, *A chave mestra das riquezas* (1945; repr., Shippensburg, PA: Sound Wisdom, 2018), 170.

*Liberte-se dos seus medos*

As emergências da vida costumam levar o homem para encruzilhadas onde eles são forçados a escolher uma direção, uma estrada sinalizada como Fé e outra como Medo!

O que faz com que a grande maioria escolha a estrada do Medo? A escolha se prende à atitude mental de cada um!

O homem que segue a estrada da Fé é o que condicionou a mente a acreditar; condicionou-a pouco a pouco, ao tomar decisões imediatas e corajosas nos detalhes das suas experiências diárias. O homem que escolhe a estrada do Medo faz isso porque negligenciou o condicionamento de sua mente para ser positiva.[21]

Você tem uma escolha entre permitir que o medo escreva sua história e começar a trabalhar para ativamente construir a fé. Enquanto algumas pessoas podem estar mais predispostas na direção de um pensamento positivo e de autoconfiança, não existe um ser humano nessa terra que não tenha de reforçar suas crenças positivas por meio de diálogos internos afirmativos. Existe

---

21. Ibid., 173.

muito ruído, tanto interno quanto externo, para deixarmos de filtrar os estímulos sensoriais que entram em nossa consciência antes que cheguem ao subconsciente, onde esses pensamentos se transformam em planos para nossas ações.

Quando cultivamos uma consciência dos pensamentos negativos que entram no consciente e das emoções negativas que experimentamos como resultado disso, então podemos dar-lhes o novo propósito de alimentar nosso sucesso. Infelizmente, como Hill destaca, "a maioria das pessoas nunca aprende a arte de transmutar as emoções mais fortes em sonhos de uma natureza construtiva".[22] Aqueles que se diferenciam em riqueza, influência ou habilidade reconhecem emoções negativas como medo antes que sejam processadas pelo subconsciente como um plano para ação (ou inação, como pode ser no caso de medo). Devemos condicionar nossas mentes para acreditar não só que vamos receber o que mais desejamos, mas também que isso já está destinado para nós; tudo o que

---

22. Napoleon Hill, *Quem pensa enriquece* (1937; repr., Shippensburg, PA: Sound Wisdom, 2016), 50.

temos de fazer é identificar e implementar os planos práticos necessários para reivindicar isso.

Se as pessoas confrontarem os obstáculos com fé ao invés de medo – caso consigam usar os desafios como instrumentos para gerar novas ideias –, poderão alcançar mais sucesso do que normalmente conseguiriam em circunstâncias normais. Como Hill afirma, "A essa altura, o mundo inteiro deve ser capaz de saber que a fé é o ponto inicial de todo esforço construtivo da humanidade e que o medo é o começo da maioria dos esforços destrutivos do homem".[23]

A fé alcança aquilo que as vantagens materiais, conexões e educação não podem alcançar. Hill aprendeu com sua experiência pessoal os limites de recursos tangíveis como o dinheiro. Quando seu banco fechou as portas durante a Depressão, ele descobriu que a

Fé pode alcançar o que nem todo o dinheiro do mundo pode abarcar. Quando possuía todo o dinheiro de que precisava, cometi o grave erro de acreditar que dinheiro

---

23. Napoleon Hill, "This Changing World" (Esse mundo em mudança), em *Greatest Speeches* (Os melhores discursos), 256.

era poder. Agora veio a surpreendente revelação de que dinheiro, sem fé, não é nada além de metal inerte, que por ele mesmo não tem qualquer poder que seja.[24]

Ele acrescenta mais adiante:

Minha conta bancária colapsou, mas continuo mais rico que a maioria dos milionários porque tenho fé, e com isso posso acumular outras contas bancárias e adquirir qualquer coisa de que venha a precisar para me sustentar nesse redemoinho de atividade conhecido como "civilização". Não, sou mais rico do que a maioria dos milionários, porque dependo de uma fonte de poder que se revela de dentro de mim, enquanto eles buscam por poder e estímulo na cotação da bolsa.[25]

Agora que você sabe que a verdadeira fonte de poder não é algo que está fora do seu alcance, não deixe que as circunstâncias sirvam como uma desculpa para que seu medo o mantenha para baixo na vida. Construa sua crença na sua habilidade de alcançar seus sonhos

---

24. Ibid., 250.
25. Ibid., 256.

*Liberte-se dos seus medos*

usando a fórmula da fé que Napoleon Hill estabeleceu inicialmente em *Quem pensa enriquece*. Como ele exclama, "FÉ é a única cura para o FRACASSO!".[26]

## FÓRMULA PARA A FÉ

**1** Não só consigo alcançar meu objetivo principal definido, como *vou* alcançá-lo, então prometo que tomarei medidas consistentes para atingi-lo.

**2** Reconhecendo que meu pensamento dominante se tornará realidade, me comprometo a focar 30 minutos de cada dia numa clara figura mental de quem mais quero me tornar e de como minha vida será quando eu alcançar esse desejo.

---

26. Napoleon Hill, *Quem pensa enriquece* (1937; repr., Shippensburg, PA: Sound Wisdom, 2016), 71.

**3** Reconhecendo que qualquer desejo em que eu focar procurará expressão em forma física, usarei 10 minutos de cada dia insistindo para meu subconsciente que sou autoconfiante.

**4** Tendo anotado o objetivo principal definido da minha vida, prometo a mim mesmo que nunca desistirei de alcançá-lo.

**5** Comprometo-me a basear todos os meus esforços no amor à humanidade e na intolerância com as emoções inferiores como ódio, inveja, ciúme, egoísmo e cinismo. Recusarei qualquer oportunidade que não beneficie todas as partes envolvidas, percebendo que servir aos demais é a forma mais segura de construir alianças e obter sucesso.

*Liberte-se dos seus medos*

Quando repetida em voz alta uma vez por dia, essa fórmula pode lhe trazer grande prosperidade, paz mental e outras incomensuráveis riquezas, mas também traz algo muito maior – o conhecimento inequívoco de que a adversidade é vantajosa quando encarada corretamente.

> *A adversidade é vantajosa quando encarada corretamente.*

## REIVINDIQUE SUA CORAGEM

Desenhe uma tabela com duas colunas. Na coluna da esquerda, escreva a lista de todos os desafios que você está enfrentando atualmente, incluindo os medos que o estão impedindo de agir em prol dos seus sonhos. Na coluna da direita, escreva as oportunidades que você poderá encontrar em cada um desses obstáculos.

*Napoleon Hill*

| DESAFIOS | OPORTUNIDADES |
|---|---|
| | |

Capítulo 3

# Medoenza e Preocupatite

*Sem dúvida, a fraqueza mais comum dos seres humanos é o hábito de deixar a mente aberta para a influência negativa de outras pessoas.*

— Napoleon Hill, *Quem pensa enriquece*

"**O** medo derrota mais pessoas do que qualquer outra coisa no mundo."[27] A habilidade de esvaziar essa força pode significar, e comumente significa, a diferença entre sucesso e fracasso, felicidade e miséria.

"Medoenza", assim chamado por Hill em *Quem pensa enriquece*, é um vírus fatal para o sucesso: ele se multiplica dentro de um indivíduo e destrói seus órgãos da criatividade e do trabalho. Seu efeito tóxico não está preso dentro do hospedeiro: é extremamente contagioso, espalhando seu veneno de pessoa em pessoa. Uma

---

27. Elbert Hubbard citado em Dale Carnegie, "How 'Teddy' Roosevelt Conquerer Fear" (Como "Teddy" Roosevelt dominou o medo), *The Detroit Free Press*, 17 de março, 1941, p. 3.

*Liberte-se dos seus medos*

vez nas garras do medo, pode ser extremamente difícil de se libertar porque requer identificar e desenraizar os equívocos que se entranharam no subconsciente do indivíduo e, no processo, o cobriram numa névoa geral de preocupação.

Quando aqueles que se deparam com uma derrota temporária respondem com medo, os resultados podem ser bem desastrosos – especialmente quando a resposta é difundida. Para Hill, foi isso que exacerbou as consequências negativas da Grande Depressão. Como ele escreve em *Quem pensa enriquece*, "O mundo todo teve ampla oportunidade, durante a recente depressão econômica, de testemunhar o que a FALTA DE FÉ fará com os negócios".[28] Ele continua: há "evidência em abundância de que espalhar o MEDO paralisará as rodas da indústria e das transações".[29] O medo pode triturar uma economia inteira até pará-la, destruindo a subsistência de milhões de pessoas e sua crença em si mesmas.

---

28. Napoleon Hill, *Quem pensa enriquece* (1937; repr., Shippensburg, PA: Sound Wisdom, 2016), 80-81.

29. Ibid., 81.

Reconhecendo que essa emoção negativa foi responsável por insuflar as chamas da histeria financeira durante a Depressão, Hill deu a Franklin D. Roosevelt a ideia para a famosa frase no seu discurso de posse: "A única coisa que devemos temer é o próprio medo."[30] De fato, isso é tão pernicioso que Hill lista "Freedom from Fear" (Liberte-se do medo) como a quarta das doze riquezas da vida. "Nenhum homem que teme a tudo", ele justifica, "é um homem livre! O medo é o prenúncio do mal, e, onde quer que apareça, alguém deve achar a causa que precisa ser eliminada antes que ele se torne rico no sentido mais amplo."[31]

Mas não se desespere – existe uma cura para essa doença, uma que será explorada no próximo capítulo. Primeiro devemos desmistificar os sete medos primários e o oitavo sabotador tão prejudicial a que Hill se refere como um "mal".

---

30. Franklin D. Roosevelt, "First Inaugural Address" (Primeiro discurso de posse), *Archives.gov*, última atualização em 23 de setembro, 2016. Disponível em: http://www.archives.gov/education/lessons/fdr-inaugural.

31. Napoleon Hill, *A chave mestra das riquezas* (1945; repr., Shippensburg, PA: Sound Wisdom, 2018), 23.

*Liberte-se dos seus medos*

## QUANDO A VULNERABILIDADE
## É PERIGOSA

Escrevendo *A chave mestra das riquezas*, Hill questiona:

> Que medo estranho é esse que entra nas mentes do homem e toma um atalho para a sua aproximação com esse poder secreto de dentro, e quando é reconhecido e usado eleva os homens às grandes alturas da realização? Como e por que a vasta maioria das pessoas do mundo se torna vítima de um ritmo hipnotizante que destrói sua capacidade de usar o poder secreto de suas próprias mentes? Como esse ritmo pode ser quebrado?[32]

Hill está se referindo aqui ao que ele chama de "Força Cósmica do Hábito" – a força que trabalha tanto para o seu bem quanto para o seu mal, dependendo de como os pensamentos por ela replicados são construtivos ou destrutivos. Por causa do incrível poder do subconsciente para trabalhar a favor ou contra nós, materializando

---

32. Ibid., 168.

nossos pensamentos dominantes (quer seja voluntária ou involuntariamente), o grande "mal" que enfrentamos como humanos – algo mais perigoso que qualquer um dos sete medos básicos – é nossa *suscetibilidade para influências negativas*. Para enfatizar a epígrafe que abre este capítulo: "Sem dúvida, a fraqueza mais comum dos seres humanos é o hábito de deixar a mente aberta para influências negativas das outras pessoas".[33] Nossa vulnerabilidade para a negatividade e as ideias mal orientadas dos outros têm os mesmos resultados que a hipnose: somos embalados em um estado de desamparo e comportamento autodestrutivo, quer seja em forma de inação ou de frenesi. Isso permite que pensamentos destrutivos se enraízem no subconsciente e trabalhem em conjunto com ele para que se tornem realidade.

Para combater essa tendência prejudicial, você deve desenvolver sua reserva de força de vontade, deve construir uma fortaleza em volta do seu subconsciente e filtrar quaisquer mensagens destrutivas antes que elas criem raízes. Esse atalho é tremendamente difícil

---

33. Napoleon Hill, *Quem pensa enriquece* (1937; repr., Shippensburg, PA: Sound Wisdom, 2016), 362.

*Liberte-se dos seus medos*

de perceber, Hill destaca, porque a maioria das pessoas não está ciente de estar sob influência de outros, e, quando elas reconhecem isso, costumam recusar-se a atacar o problema. Reconheça que você é mais suscetível a influências negativas que harmonizam com suas fraquezas. Por exemplo, se você já teme correr riscos, então será mais facilmente afetado por mensagens que mexem com esse medo. Saber disso sobre você mesmo pode ajudá-lo a lidar mais criticamente com mensagens que reforçam seu medo de correr riscos, testando sua veracidade antes de aceitá-las sem hesitação.

Em segundo lugar, você deve evitar pessoas negativas e manter somente a companhia de indivíduos que o encorajem a pensar e agir por você mesmo. Como é sempre dito, há uma média de cinco pessoas com as quais você passa mais tempo. Por extensão, se passar a maior parte dos seus dias com pessoas que adotam a negatividade, são negativas e induzidas pela mídia a serem frenéticas, então você mesmo provavelmente se tornará um agente desse pânico (por isso é crucial escolher cuidadosamente seu cônjuge). A suscetibilidade às influências negativas transfere o controle sobre nossas vidas para as forças externas, reduzindo-nos a meros meios de propaganda. Quando ignorada, essa tendência nos amarra, obrigando-nos a ser prisioneiros do medo.

Quando exposto, isso pode ser contido por um muro de imunidade na mente. Faça a avaliação do apêndice para determinar o quanto você é realmente suscetível à influência negativa dos outros e utilize o resultado para ajudá-lo a estabelecer limites para proteger sua atitude mental e a trajetória que sua vida tomará.

## OS SETE FANTASMAS DO MEDO

"Cada ser humano tem a habilidade de controlar completamente a própria mente", Hill escreve em *Quem pensa enriquece*.[34] Para se tornar o mestre do seu destino e aproveitar o imenso poder da sua mente para criar a vida dos seus sonhos, você deve primeiramente entender a si mesmo, reconhecendo a quais dos sete medos básicos é mais suscetível. Se alguma dessas influências negativas está funcionando no seu subconsciente, então o que Hill

---

34. Ibid., 330.

*Liberte-se dos seus medos*

chama de seu "Sexto Sentido" – sua imaginação criativa, que gera planos concretos para alcançar seus desejos – não consegue funcionar adequadamente. Em outras palavras, o medo é um estado mental que inibe a parte do cérebro responsável pela inspiração. Quando somos controlados pelo medo, nossa perspectiva está muito limitada para ver as oportunidades que estão à volta. Devemos tirar o poder dos fantasmas do medo ao nomear e reconhecer que eles são emoções não confiáveis, não fatos nos quais podemos apoiar nosso futuro.

> *Medos são emoções não confiáveis, não fatos nos quais podemos apoiar nosso futuro.*

Os sete medos mais comuns, nos quais todos os medos podem ser agrupados, são os seguintes:

➤ Medo da pobreza.
➤ Medo das críticas.

> Medo da saúde fraca.

> Medo de perder o amor.

> Medo da liberdade perdida.[35]

> Medo da velhice.

> Medo da morte.

## Medo da pobreza

O medo da pobreza é o mais destrutivo de todos os sete medos básicos porque é o mais difícil de dominar. Está enraizado na natureza humana devido à nossa tendência de tirar vantagem dos outros para nosso próprio benefício econômico, assim como nosso conhecimento acerca do sofrimento que a pobreza causa, incluindo o dano ao ego. Sobre esse medo, Hill escreve:

Esse medo paralisa a faculdade da razão, destrói a faculdade da imaginação, mata a autossuficiência, prejudica o entusiasmo, desencoraja a iniciativa, leva à incerteza de

---

35. O medo da perda da liberdade não foi um dos seis fantasmas originais identificados em *Quem pensa enriquece*. Hill o adicionou mais tarde, e ele aparece em seu catálogo dos medos em *A chave mestra das riquezas*, p. 23.

*Liberte-se dos seus medos*

propósitos, encoraja a procrastinação... e impossibilita o autocontrole. Tira o charme da personalidade de uma pessoa, destrói a possibilidade de pensar precisamente, dispersa o esforço de concentração, domina a persistência, transforma a força de vontade em nada, destrói a ambição, encobre a memória e convida ao fracasso em todas as formas concebíveis... tudo isso a despeito da verdade óbvia de que vivemos em um mundo de superabundância de tudo que o coração possa desejar, com nada se colocando entre nós e nossos desejos, exceto a falta de um propósito definido.[36]

Os sintomas mais comuns do medo da pobreza são os seguintes: falta de ambição, inabilidade de pensar por si mesmo, uso das dúvidas como desculpas para fracassos, comportamentos autodestrutivos em forma de gastos em excesso e falta de moderação, crítica habitual dos outros e cautela em excesso que leva à inação. Temendo a pobreza, falhamos na busca de oportunidades de negó-

---

36. Napoleon Hill, *Quem pensa enriquece* (1937; repr., Shippensburg, PA: Sound Wisdom, 2016), 332.

*Napoleon Hill*

cios ou de seguir nossos sonhos de qualquer outro modo. Tornamo-nos tão consumidos por nossa sabida falta de recursos financeiros que nosso ressentimento engole nossa originalidade, responsabilidade e persistência. Desperdiçamos tempo obcecados com nossas contas bancárias em vez de desenvolvermos planos para construir riqueza. Em nossa inatividade, fazemos careta para aqueles que tiveram sucesso depois de terem dominado esse medo correndo riscos calculados, e desenvolvemos uma personalidade negativa caracterizada por avareza e amargura ou, alternativamente, indiferença e falta de moderação.

Podemos ver o efeito desastroso do medo na resposta do público durante a quebra de Wall Street em 1929 – uma resposta que intensificou a crise econômica até que ela se tornasse uma depressão. Hill explica:

As pessoas da América começaram a pensar na pobreza logo após a quebra de Wall Street, em 1929. Devagar, mas com certeza, aquele pensamento em massa

*Liberte-se dos seus medos*

foi cristalizado num equivalente físico, que ficou conhecido como "depressão". Isso tinha que acontecer, está em conformidade com as leis da natureza.[37]

Por que a lei natural determinou que o medo da pobreza difundido seria materializado como uma depressão econômica? Pela mesma razão que a autossugestão, ou que a repetição de pensamentos emocionais para programar o subconsciente, é tão poderosa: "todo pensamento tem a tendência de se vestir com uma forma física equivalente".[38] O medo da pobreza nunca poderá se traduzir em ganho financeiro – somente em dificuldades e limitações econômicas.

## Medo de críticas

Olhe em volta para as publicações de todos nas redes sociais, que parecem ter passado por uma espécie de curadoria, e para o uso da internet como uma câmara de eco, e você verá como o medo de críticas se tor-

---

37. Ibid., 330.
38. Ibid.

nou um lugar-comum no mundo de hoje. Hill atribui as origens disso à tendência humana de justificar suas ações ofensivas contra os outros atacando seus caracteres – em outras palavras, construir a nós mesmos pela destruição dos outros. Esse medo é responsável pela tendência de agradar as pessoas, pela compulsão de "ficar bem com os outros" e pela aceitação sem crítica de doutrinas e narrativas dominantes. Nós nos sabotamos sem nos preocuparmos de que nosso risco encontre retorno negativo ou risadas, principalmente dos nossos entes queridos. Esse medo se enraíza ainda mais profundamente nos indivíduos cujos pais foram extremamente críticos deles quando eram crianças, fazendo com que desenvolvessem complexo de inferioridade. Pais e outros mentores devem perceber que as críticas só cultivam medo e ressentimento, enquanto um retorno amável e construtivo possibilita um desejo genuíno de aperfeiçoamento pessoal que é baseado na compreensão do valor do indivíduo.

Quando esse medo se torna mais desenvolvido, ele diminui a criatividade, destrói a habilidade de pensar por si mesmo e enfraquece a iniciativa do indivíduo. Os

*Liberte-se dos seus medos*

sintomas incluem *autoconsciência*, normalmente manifestada em dificuldade social e vergonha; *indecisão*, particularmente em formar e expressar uma posição firme em assuntos importantes; *senso de inferioridade* mascarado por elevada atenção à aparência pessoal; *extravagância*, com a intenção de "ficar bem com os outros"; *falta de iniciativa*, manifestando-se como procrastinação; e *falta de ambição*, resultando de uma preocupação de que qualquer movimento ousado trará críticas.

## Medo da saúde fraca

Esse medo, assim como o medo da velhice e o medo da morte, está sempre presente em certo nível, na medida em que os seres humanos não gostam de encarar a própria mortalidade e desenvolvem neuroses quando focam demais nisso. Porque nosso subconsciente trabalha na materialização dos impulsos dos nossos pensamentos – especialmente daqueles que estão emocionados –, "o medo de doença... quase sempre produz um sintoma físico da doença temida".[39] Os outros efeitos incluem os seguintes: *vícios em modismos de saúde; hipocondria; sistema imunológico enfraquecido*, causado pela mente trabalhando para criar condições favoráveis para a doença; *autoindulgência* ou uso de uma doença percebida ou esperada como desculpa para o fracasso ou para a falta de ambição e de *moderação*, resultante de uma tentativa de usar álcool e outros narcóticos como meios para combater os sintomas desagradáveis de uma doença, em vez de combater as causas da doença.

Como temos visto, o medo da saúde fraca alcança proporções épicas durante tempos de pandemia, fazendo com que as pessoas vão em bando para lojas esvaziarem as prateleiras de papel higiênico, desinfetantes de mãos e máscaras faciais. De acordo com a *National Geographic*, essa "compra de pânico" é uma resposta evolutiva com a intenção de induzir um senso de controle de sobre-

---

39. Ibid., 345.

vivência do indivíduo.[40] Aliás, pânico é, por sua própria definição, o medo que se transformou de construtivo em destrutivo – de controlado a frenético.

O pânico de pandemias acontece em grande parte graças à mídia, que vê na disseminação das doenças uma oportunidade para gerar receita, ao alimentar o medo das pessoas. Hill reconheceu isso durante o surto da gripe espanhola, em 1918:

> Durante a pandemia de "gripe" que estourou durante a guerra mundial, o prefeito da cidade de Nova York tomou medidas drásticas para controlar o dano que as pessoas estavam causando a si mesmas devido ao medo inerente à saúde ruim. Ele convocou os jornalistas e disse-lhes, "Senhores, sinto ser necessário pedir a vocês que não publiquem manchetes assustadoras em relação à epidemia de 'gripe'. A menos que vocês cooperem comigo, teremos uma situação que não poderemos

---

40. Amy McKeever, "Coronavirus Is Spreading Panic. Here's the Science Behind Why" (Coronavírus está espalhando o pânico. Aqui está a ciência por trás do porquê), *National Geographic*, 17 de maio, 2020. Disponível em: https://www.nationalgeographic.com/history/article/why-we-evolved-to--feel-panic-anxiety.

controlar". Os jornais pararam de publicar histórias sobre a "gripe", e dentro de um mês a epidemia diminuiu com sucesso.[41]

Alimentando o público com histórias de terror atrás de histórias de terror, a mídia reduz as faculdades de discernimento dos espectadores até que eles se tornem totalmente dependentes e viciados nas notícias, numa corrida por doses de adrenalina e por justificativa para seu estado de indolência. Essas mensagens causam um curto-circuito no cérebro porque, quando enfrentando profundas incertezas, o cérebro se protege implementando as influências disponíveis: ele se recupera e apoia nas informações mais acessíveis, que são as mensagens recorrentes que vemos nas manchetes.[42] Por causa disso, as pessoas fazem bem ao limitar a quantidade de notícias que consomem durante os tempos de pandemia, para que não deixem o medo de doenças afetar sua saúde mental e sua habilidade de seguir com suas atividades

---

41. Napoleon Hill, *Quem pensa enriquece* (1937; repr., Shippensburg, PA: Sound Wisdom, 2016), 345-46.
42. McKeever, "Coronavirus."

*Liberte-se dos seus medos*

diárias, incluindo as ações que devem manter para alcançar seu objetivo principal.

## Medo de perder o amor

Quando nos apaixonamos, esse amor costuma ser acompanhado do medo de perdermos aquela pessoa, seja pela morte, seja para outra pessoa. De várias formas, esse medo pode ser o mais debilitante, já que pode alterar completamente nossa percepção da realidade, mudando como compreendemos as informações sensoriais e impactando nossa saúde mental. Os sintomas mais comuns incluem *ciúmes*, ou suspeitas constantes e imerecidas; *procura de falhas*, atenção supercrítica direcionada a todos, não só ao seu parceiro romântico; *extravagância*, usada para "comprar o amor"; e *adultério*, ou traição do parceiro pelo medo de que ele ou ela será infiel primeiro. Aqueles que acabam sendo presas desse medo quase sempre acabam fazendo com que ele realmente ocorra, porque ele envenena o relacionamento, afastando o ente querido deles.

## Medo de perder a liberdade

Os seres humanos valorizam tanto a sua independência que qualquer ameaça à sua liberdade provoca uma dramática resposta de brigar ou fugir. Temendo que nossos direitos individuais sejam violados, criamos discórdia entre nós mesmos e com outros que tenham opiniões políticas diferentes da nossa. Tratamos qualquer opinião discordante como se fossem ataques pessoais ao nosso próprio ser. Falhamos em aproveitar as chances nos negócios e em nossas vidas por causa da preocupação de perder nossa independência econômica. Evitamos os assuntos de deficiência ou velhice por medo de pensar em uma vida sem uma completa independência física. Esse medo infecta nosso relacionamento profissional com nossos superiores, porque permite que o ressentimento nos machuque quando nos sentimos como se não tivéssemos voz.

Por fim, esse medo nos faz internalizar as suspeitas de que qualquer pessoa de fora tenta nos controlar de alguma forma, e, fazendo isso, damos o controle a elas. Construindo muros em torno de nós mesmos, perdemos oportunidades que poderiam vir por meio de colaboração, com-

*Liberte-se dos seus medos*

promisso e enfrentamento de riscos calculados. Sintomas comuns desse medo incluem *preconceitos/dogmatismo*, ou visões estreitas criadas para a nossa visão do mundo; *acumulação*; *paranoia*; *comportamento controlador*, e.g., observar rotinas rígidas para tomar controle da vida dos outros; *apatia* ou deixar de desenvolver qualquer plano definitivo por medo de suas consequências econômicas; e *isolamento social*, resultante da falta de desejo ou da inabilidade de colaborar com os outros.

## Medo da velhice

Esse medo normalmente costuma ficar mais forte conforme ficamos mais velhos. Ele deriva de uma associação da pobreza com a velhice e a preocupação com o que está por vir após a morte. Ele também revela uma suspeita de que os outros possam estar querendo uma herança, preocupação com a possível falta de saúde e qualidade de vida, medo de diminuição da atração e de atividades sexuais e preocupação de perder a liberdade econômica e física. Suas manifestações mais evidentes podem ser vistas numa crise de meia-idade ou num surgimento repentino de imaturidade durante a "meia-idade", que resulta do medo de ter perdido os seus "melhores" anos; em um complexo de inferioridade ou em pensar que se tem menos valor do que os outros por causa da idade; e na tendência de se acomodar porque o indivíduo sente que está muito tarde para agir por seus sonhos. Esse medo é magnetizado por uma nostalgia debilitante, que pode fazer com que a pessoa foque muito no passado, negligenciando o futuro. Quanto tempo desperdiçamos desejando que pudéssemos reviver nossa juventude em vez de trabalhar ativamente para criar um futuro gratificante? Nunca é muito tarde para viver a sua melhor vida.

> *Nunca é muito tarde*
> *para viver a sua melhor vida.*

## Medo da morte

O medo da morte normalmente vem não do medo de morrer, mas de um medo do que a vida após a morte – ou

*Liberte-se dos seus medos*

a falta dela, dependendo de suas crenças – pode significar. Visões do fogo do inferno ou do nada fazem com que o ser humano reprima o pensamento acerca da morte. Aqueles que se transformam em presas desse medo sofrem por possíveis ameaças à sua sobrevivência, ao ponto de terem medo de viver e de acabarem desperdiçando suas vidas. Os sintomas comuns incluem *inação* ou indecisões resultantes de um foco na morte; *acumulação* ou um medo da pobreza e de deixar suas famílias sem recursos, que se manifesta em forma de acumulação obsessiva de bens materiais; e *fanatismo religioso* ou se deixar levar por doutrinas de religiões extremistas para se sentir melhor para a morte.

Hill afirma que o medo da morte, se canalizado corretamente, pode ser bastante produtivo: se o indivíduo conseguir aceitar a morte como uma realidade, o pensamento pode deixar sua mente para que ele possa focar em servir aos outros e atingir seu objetivo principal definido. Para Hill, a morte não é algo a se temer, pois é só mais uma ocorrência do que ele mencionou como "transmutação" ou transferência de energia de um objeto (animado ou não) para outro. Seguindo as leis da natureza, a morte não é passar para o nada, já que a energia não pode ser criada nem destruída, mas é simplesmente uma transição para outro estado.

Essas sete forças intangíveis, que existem somente na mente, causam mais estrago para a humanidade do que qualquer inimigo "real". Mas está totalmente no controle do indivíduo ajustar sua mente removendo esses medos ou, alternativamente, usá-los para direcioná-lo ao sucesso, e aceitar somente os impulsos construtivos do pensamento.

## A INFECÇÃO SECUNDÁRIA DA PREOCUPATITE

Quando a pandemia da Medoenza se espalha, o resultado é uma condição secundária conhecida como Preocupatite. Ela ocorre quando o medo está tão entranhado no subconsciente de uma pessoa que desestabiliza sua mente, fazendo com que ela se sinta desamparada e incapaz de tomar decisões. Ela destrói a autoconfiança e reduz a habilidade do indivíduo de agir por seus sonhos. Como Hill explica em *Quem pensa enriquece*, a preocu-

*Liberte-se dos seus medos*

pação produz quatro resultados negativos: (1) espalha o medo para outros; (2) paralisa as faculdades criativas e críticas; (3) enraíza o medo no subconsciente da pessoa, o qual trabalha para produzir seu equivalente físico; e (4) cria uma personalidade negativa e desagradável. Mas, já que trouxemos para as nossas vidas o assunto de dominar nossos pensamentos, a preocupação tem a tendência de transformar nossos medos em realidade. Com isso em mente e com um desejo de viver no presente, sem as amarras dos fantasmas do medo, vamos explorar, a seguir, a cura para essas doenças terríveis.

## REIVINDIQUE SUA CORAGEM

Complete o questionário de autoanálise disponível no apêndice. Baseado no resultado, o quanto você é suscetível às influências negativas dos outros? Como você ajustará seu comportamento diário para melhor se proteger dessas influências? Como erguerá os muros em volta do seu subconsciente para garantir que os impulsos dos pensamentos negativos possam ser identificados e filtrados por sua mente consciente antes que se enraízem na sua estrutura mental?

Capítulo 4

# Entrando na correnteza do poder

*Conte ao mundo o que você
pretende fazer, mas
primeiro mostre.*

– Napoleon Hill, *Quem pensa enriquece*

Como exploramos no capítulo anterior, o medo nos faz prisioneiros das nossas emoções. As influências do ambiente à nossa volta trabalham para aumentar essas ligações ao exacerbar nossos medos até que se tornem pânico e histeria. Quando ficamos presos nesse estado de medo somos inofensivos, nos falta a vontade, a criatividade e a coragem para tirarmos proveito das oportunidades para o sucesso. O medo nos deixa desamparados, apáticos, complacentes e, o pior, fontes de contaminação que espalham o medo e a preocupação para os outros.

Mas o mundo não precisa de pessoas que submergem no barulho da sociedade e o usam como desculpa para manter o *status quo*. Ele precisa de pioneiros que enxerguem os desafios como oportunidade para criar algo novo e para

*Liberte-se dos seus medos*

prestar serviços para os outros por meio da inovação. Como Ralph Waldo Emerson afirma, "Não aprendeu a lição da vida aquele que não supera um medo a cada dia".[43] Está na hora de retomar o controle da sua vida, entrar na correnteza do poder e de usar as incríveis faculdades mentais da criatividade para alcançar, mais do que inibir, o seu sucesso.

## DO HÁBITO PARA A ATITUDE MENTAL

Apesar de os sete medos básicos e as oito maldades poderem ferir e se espalhar no nosso subconsciente sem serem notados, existe uma cura relativamente simples. De acordo com Hill, o "único antídoto conhecido para esses germes... é o hábito de decidir rapidamente e com firmeza".[44] Porque o medo age para nos paralisar num estado de inação, a única cura para ele é criar um impulso numa direção construtiva, o que requer determinação. Como Hill explica, "O medo, o pior de todos os inimigos,

---

43. Ralph Waldo Emerson, "Courage" (Coragem), em *Society and Solitude: Twelve Chapters* (Sociedade e solidão: doze capítulos). Boston: Fields, Osgood, & Co., 1870, 247.

44. Napoleon Hill, *Quem pensa enriquece* (1937; repr., Shippensburg, PA: Sound Wisdom, 2016), 356.

pode ser efetivamente curado por meio da *repetição forçada de atos de coragem*.[45] Similar à terapia de exposição, esse tratamento quebra o poder emocional do medo ao confrontá-lo em estágios, com a intenção de demonstrar, de forma inofensiva, a sua fonte.[46] Em outras palavras, se você consistentemente decidir agir apesar do medo, esse medo perderá a força, enquanto é substituído pelo conhecimento de sua irracionalidade e pela satisfação de ter progredido na jornada para o sucesso.

> *"A maioria das pessoas são serviçais, não os mestres das suas emoções, porque nunca estabeleceram hábitos sistemáticos, definitivos, de controlá-las."*
>
> – Napoleon Hill

---

45. Ibid., 234.

46. Esse livro sobre o medo não tem a intenção de diagnosticar ou tratar fobias, ataques de pânicos, ou outras condições médicas; por favor, consulte um profissional especializado para aconselhamento.

*Liberte-se dos seus medos*

Reconheça que o medo e a suscetibilidade a influências negativas são estados emocionais que geraram um conjunto de hábitos destrutivos e, enquanto tal, estão *completamente sob o nosso controle*. Por isso, devemos resolver criar novos e melhores hábitos mentais. Como Hill explica, "Todo homem é uma coleção de hábitos. Alguns são de sua própria criação, enquanto outros são involuntários. Eles são criados por seus medos, dúvidas, preocupações, ansiedades, ganância, superstições, inveja e ódio".[47] Podemos controlar e direcionar nossos hábitos de pensar, cortando a ligação entre a emoção e o pensamento (e, por sua vez, ação). A autodisciplina é crucial aqui: isso requer ficar consciente dos sentimentos, incluindo quais mensagens internas e externas estão contribuindo para eles; neutralizar os impulsos dos pensamentos emocionalizados antes que eles penetrem no subconsciente; e agir na direção oposta àquela que o medo tenta direcioná-lo.

Por exemplo, quando sentir medo de fazer um ligação de venda, você deve fazer o seguinte processo: nomear e

---

47. Napoleon Hill, *A chave mestra das riquezas* (1945; repr., Shippensburg, PA: Sound Wisdom, 2018), 236.

aceitar o sentimento e o medo do qual ele deriva (o medo de crítica), respirar fundo e soltar as emoções enquanto expira, substituir o impulso do pensamento destrutivo por um construtivo na forma de uma afirmação (e.g., "Essa oportunidade, produto etc., vai adicionar um valor significante para a vida dessa pessoa."), e então agir, apesar do medo (e.g., pegue o telefone e faça a ligação!).

Dependendo de qual medo é mais prevalente no seu estado mental, você pode alimentar o seu plano de ação adequadamente. Se, por exemplo, você luta com o medo da pobreza, pode decidir se contentar e ser grato pelos recursos financeiros que possui atualmente, independentemente de quais sejam tais fontes. Pode controlar seus gastos e economizar de forma que lhe dê tranquilidade caso passe por um período de escassez financeira.

Aqueles que lutam com o medo de críticas podem ser curados ao decidir não se importar com o que as pessoas pensam, dizem ou fazem. Definindo o seu valor próprio, podem decidir repelir as palavras e atitudes negativas dos outros e agir sem levá-las em consideração.

O medo da saúde fraca pode ser curado ao se comprometer a cuidar do corpo e da mente por meio de ali-

*Liberte-se dos seus medos*

mentação adequada, exercícios e cuidados pessoais, assim como decidir buscar e confiar em profissionais médicos experientes quando enfrentar algum sintoma incomum.

Para aqueles atormentados pelo medo de perder o amor, a decisão de viver uma vida plena e significativa com ou sem um parceiro romântico pode livrar dessas amarras. Aprender a achar prazer em amizades e no relacionamento que tem consigo mesmo, bem como confiar na força da sua relação romântica, não só o libertará desse tormento mental, como também aprofundará a ligação que você tem com seu parceiro.

O medo da perda da liberdade pode ser tratado pela decisão de aceitar quaisquer desafios que surjam e exercer controle do estado mental e determinação com os quais os encara todos os dias. Quando se tem a vida sob controle, é muito mais fácil resistir às influências externas sem ser exageradamente desconfiado quanto às intenções dos outros.

O medo da velhice pode ser curado ao decidir-se aceitar o processo de envelhecimento e aproveitar os benefícios que vêm com ele, incluindo as oportunidades para o saber, o tempo livre e para a construção de um legado.

E, finalmente, o medo da morte pode ser curado ao resolver aceitar a mortalidade e viver intensamente o presente, encarando cada dia como sendo uma chance de aproveitar os frutos do amor, do serviço e do progresso.

Para aqueles cujos medos se tornaram um estado de preocupação geral, a melhor cura é decidir de uma vez por todas que nada vale o preço da preocupação. Afinal de contas, existe algo pior que a inquietação perpétua e a insatisfação que a preocupação traz? De fato, as experiências de medo e preocupação em sua maioria são piores que o que de fato tememos.

## O LADO CERTO DO RIO

Hábitos nos impulsionam em uma direção específica por causa do princípio natural que Hill chama de "Força Cósmica do Hábito". É a força que sustenta o funcionamento da autossugestão, que é o processo de alimentar seus pensamentos subconscientes, seja de forma voluntária ou involuntária, de modo a agir para que eles se

*Liberte-se dos seus medos*

materializem. Pensamentos que estão magnetizados pela emoção são os mais prontamente recebidos e atuantes sobre o subconsciente. Esta é a razão pela qual o medo pode ser tão destrutivo: ele magnetiza os impulsos dos pensamentos negativos e instrui o subconsciente a manifestá-los na realidade. Com o tempo, esses pensamentos se tornam fixos, como estados mentais, os quais adiante cimentam os hábitos de pensamento que, para começar, alteram a nossa perspectiva. Por exemplo, o medo da pobreza pode ficar fixo como a atitude mental de pobreza por meio de repetidos pensamentos de perda financeira – uma atitude mental que não pode trabalhar de forma construtiva para desenvolver uma riqueza financeira, mas que, pelo contrário, direciona o subconsciente e a Inteligência Infinita para criar planos que preencherão as expectativas negativas da pessoa.

Para explicar o incrível poder desse princípio para acelerar nosso crescimento ou fracasso, Hill usa a metáfora do Grande Rio da Vida. Assim como esse Grande Rio, a Força Cósmica do Hábito tem uma potencialidade tanto positiva quanto negativa – dois córregos que correm em direções opostas:

*Napoleon Hill*

> Existe uma grande corrente invisível de PODER, que pode ser comparada a um rio; exceto pelo fato de que um lado segue numa direção, carregando todos aqueles que entram naquele lado da corrente, para a frente e para cima em direção à RIQUEZA – e o outro lado corre na direção oposta, carregando todos os que são desafortunados de entrar nela (e não são capazes de livrar-se dela) para baixo, para a miséria e a POBREZA.[48]

Usar os princípios descritos acima para filtrar nossos impulsos de pensamentos negativos e substituí-los por construtivos, magnetizando-os por meio de emoções positivas, tais como fé e amor, o colocará no lado do rio que traz sucesso, seja lá como você o defina. Como Hill detalha:

> Você pode ordenar seus hábitos de pensamentos diários, e eles o levarão a qualquer meta desejada dentro do seu alcance. Ou pode permitir as circunstâncias incontroláveis da vida fazerem seus hábitos de pensamento por

---

48. Napoleon Hill, *Quem pensa enriquece* (1937; repr., Shippensburg, PA: Sound Wisdom, 2016), 257.

você, e eles o carregarão irresistivelmente para o lado do fracasso do Rio da Vida.

Você pode manter a mente treinada para aquilo que deseja da Vida e obter apenas isso! Ou pode alimentar o pensamento daquilo que não deseja, e ele, inevitavelmente, trará apenas isso para você. Seus hábitos de pensamento evoluem do alimento que sua mente anseia.[49]

Está completamente dentro do seu poder conquistar os fantasmas do medo, proteger você mesmo da influência negativa dos outros e criar hábitos de pensamento que o municiem para o grande sucesso e para uma profunda e duradoura realização.

Ligue a força total da sua vontade e tome o controle completo da própria mente! É a sua mente! Foi dada a você como um serviçal para realizar seus desejos. E ninguém pode entrar nela ou influenciá-la, nem mesmo um pouco, sem seu consentimento e cooperação.[50]

---

49. Napoleon Hill, *A chave mestra das riquezas* (1945; repr., Shippensburg, PA: Sound Wisdom, 2018), 237.

50. Ibid.

*Napoleon Hill*

## REIVINDIQUE SUA CORAGEM

Cultive conhecimento sobre seus hábitos de pensamento, anotando-os durante uma semana. Quais são construtivos e quais são destrutivos? Para cada impulso de pensamento destrutivo, identifique qual grande medo ou emoção negativa o está magnetizando e use o guia mencionado para decidir agir (construtivamente) em oposição ao sentimento. Implemente seus novos hábitos de pensamento e de comportamento e grave o seu progresso, noticiando em especial qualquer mudança na sua atitude mental em geral e as novas oportunidades que você conseguiu identificar.

Capítulo 5

# A energia na mente mestra

*Quando um homem se transforma no mestre das próprias emoções e aprende a abençoada arte de se expressar pelos seus serviços úteis para os outros, ele foi mais adiante no desenvolvimento de uma Atitude Mental Positiva.*

- Napoleon Hill, *A chave mestra das riquezas*

Está inteiramente dentro do poder do indivíduo controlar seus pensamentos e emoções, mas esse processo pode ser grandemente apoiado pelo princípio da mente mestra. Hill define a mente mestra como "uma aliança entre duas ou mais mentes, combinadas num espírito de perfeita harmonia e cooperação para atingir um objetivo definido".[51] Por virtude dessa aliança, indivíduos podem "absorver poder diretamente do estoque universal de Inteligência Infinita", que estimula a mente a operar numa frequência mais alta de pensamento dentro de uma estrutura de fé, a emoção positiva mais poderosa.[52]

---

51. Napoleon Hill, *A chave mestra das riquezas* (1945; repr., Shippensburg, PA: Sound Wisdom, 2018), 111.

52. Napoleon Hill, *Quem pensa enriquece* (1937; repr., Shippensburg, PA: Sound Wisdom, 2016), 256.

*Liberte-se dos seus medos*

Quando você forma uma parceria com indivíduos cujas expertises e experiências complementam (não replicam) as suas próprias, pode aperfeiçoar grandemente seu sexto sentido, a imaginação criativa, que é a fonte de inspiração. Como Hill explica, "Todo cérebro humano é tanto uma estação transmissora quanto uma estação receptora para a expressão de vibrações de pensamento, e o efeito estimulante do princípio da mente mestra estimula as ações do pensamento".[53] Isso acontece de duas formas primárias: uma, por trocas de ideias durante reuniões regulares; e duas, por meio de uma "terceira mente" que é formada por uma rede de impulsos de pensamentos criada pela aliança da mente mestra. De fato, simplesmente por focarem conjuntamente em um objetivo definido principal compartilhado, as vibrações do pensamento do grupo podem ser amplificadas até o ponto em que a aliança acessará um nível mais alto de pensamento e criará ideias originais. Com a ajuda de uma mente mestra, os indivíduos podem superar estados mentais destrutivos como o medo e a preocupação e usar os desafios como motivação

---

53. Napoleon Hill, A chave mestra das riquezas (1945; repr., Shippensburg, PA: Sound Wisdom, 2018), 112.

para inovar e criar. Eles podem obter a fonte de riqueza definitiva, que paga dividendos infinitos: *a paz de espírito.*

## PROSPERIDADE POR MEIO DA PARCERIA

Hill reconhece que circunstâncias difíceis têm potencial para a transformação individual e social, principalmente quando experimentadas em larga escala. Essa transformação pode ser construtiva ou destrutiva, dependendo de como as pessoas respondem à derrota temporária. Durante tempos de depressão e de guerra mundial, por exemplo, Hill identifica como:

Um novo espírito está devastando o mundo devido ao medo assombroso criado pelas ameaças de uma guerra nuclear. O homem está de fato aprendendo que ele é o guardião do seu irmão! [...] Nunca na história da humanidade tantas pessoas dedicaram seu tempo, energia e riqueza para ajudar outros homens e mulheres.[54]

---

54. Hill, "The Five Essentials of Success" (Os cinco fundamentos do sucesso), em *Greatest Speeches* (Os melhores discursos), 174.

*Liberte-se dos seus medos*

Tempos difíceis e ansiedades compartilhadas oferecem a oportunidade perfeita para implementar o princípio da mente mestra. Quando as pessoas combinam suas habilidades e conhecimento para "transformar" e inovar, podem criar oportunidades para elas mesmas e para os outros e cuidar de necessidades não atendidas. Por essa razão, uma cura específica para Medoenza e Preocupatite é o *serviço*.

Quando se foca em adicionar valores aos outros, é quase impossível ser consumido pelo medo e outras emoções negativas. Como Hill diz, "Emoções positivas e negativas não podem ocupar a mente ao mesmo tempo".[55] Ao se engajar em serviços, os indivíduos podem ampliar as emoções positivas da fé, do amor, da esperança e da caridade, espalhando impulsos de pensamento construtivo para os outros, bem como podem cultivar um estado mental positivo para eles próprios, o que, por sua vez, rende prosperidade.

Se você estiver sofrendo do medo da pobreza, considere como se sentiria mais rico por meio do ato de doar. No seu grupo de mente mestra, trabalhem juntos para identi-

---

55. Napoleon Hill, *Quem pensa enriquece* (1937; repr., Shippensburg, PA: Sound Wisdom, 2016), 297.

ficar uma forma de adicionar valor para as vidas dos outros que possa ter um benefício secundário de lucro. Você pode atender seus clientes de alguma outra forma? Criar um produto para satisfazer uma demanda desatendida?

Se estiver sofrendo do medo de críticas, encha os outros de elogios. No seu grupo de mente mestra, pense numa forma de desenvolver os outros por meio do serviço ou da inovação. Existe uma comunidade (virtual ou presencial) que você possa criar para apoiar o crescimento pessoal dos outros? Um livro edificante que você possa escrever? Um produto que faria as pessoas se sentirem melhor com elas mesmas?

Se estiver sofrendo do medo da saúde fraca, voluntarie-se em um hospital ou leve comida caseira para alguém que esteja doente. No seu grupo de mente mestra, colabore para identificar um meio de ajudar as pessoas a manterem a saúde mental e física.

Se estiver sofrendo do medo de perder o amor, compartilhe seu amor com os outros. No seu grupo de mente mestra, ajude os integrantes a fortalecerem seus relacionamentos encorajando cada um deles a serem os melhores parceiros possíveis.

*Liberte-se dos seus medos*

Se estiver sofrendo do medo de perder a liberdade, voluntarie-se numa prisão ou trabalhe para ajudar os outros a protegerem suas liberdades. No seu grupo de mente mestra, reflita sobre uma maneira de libertar as pessoas de algo que esteja limitando a liberdade delas, seja algo que esteja afetando o seu tempo em família ou restringindo o acesso delas a recursos de que necessitam.

Se estiver sofrendo do medo da velhice, faça trabalho voluntário em um asilo. No seu grupo de mente mestra, considere conjuntamente como a sabedoria e a experiência de cada membro do grupo podem ajudar outros que estejam apenas começando suas jornadas para o sucesso. Encontre oportunidades para mentoria.

Se você estiver sofrendo com o medo da morte, determine como ajudar as pessoas a viverem um presente mais intensamente. No seu grupo de mente mestra, discuta formas para que cada membro possa construir um legado duradouro.

O medo pode parecer uma experiência isolante, mas, quando nos unimos a outros para canalizar nossas preocupações em direções produtivas, podemos encontrar novos caminhos para a prosperidade e o crescimento que melhorem a vida dos outros, assim como a nossa. E porque podemos combater melhor a indecisão e as dúvidas que o medo inspira num grupo de mente mestra, podemos tornar essas ideias realidade ao criar e implementar um plano definido de ação.

Não permita que o medo escreva a sua história. Você tem o controle das suas emoções e de sua resposta para a derrota temporária! Amplie a sua perspectiva tendo fé na sua habilidade de conquistar seu objetivo definido principal e você descobrirá incontáveis oportunidades que aguardam por sua iniciativa.

Chegou a hora de você dominar suas emoções... e, por extensão, a sua vida.

Está na hora de se tornar o desbravador que você nasceu para ser.

Aproveite o poder dos seus pensamentos para trocar o medo pela coragem.

Tome coragem e aja por seus sonhos.

Nunca existiu um momento mais favorável para pioneiros como o presente.[56]

---

56. Ibid., 46.

*Liberte-se dos seus medos*

## REIVINDIQUE SUA CORAGEM

Com qual medo você luta mais? Baseado nesse medo, crie um grupo de mente mestra com indivíduos que possam fornecer a experiência, o treinamento, a educação, o conhecimento especializado e o talento de que você precisa para redirecionar esse medo para um fim produtivo. Por exemplo, se está experimentando o medo da pobreza porque seu negócio está enfrentando dificuldades, existem indivíduos dentro e fora da sua área com os quais você poderia ter parcerias para criar um novo serviço, produto ou processo de negócio que ajudaria a organização de todos a atender clientes de uma forma nova e aperfeiçoada? Após convidar esses indivíduos para formar uma aliança de mente mestra, marque imediatamente uma reunião semanal recorrente. Registre as ideias que surgirem e reflita periodicamente sobre a evolução da sua atitude mental.

Apêndice

# FÉ *

* Esse é um trecho de "This Changing World"(Este mundo em mudança), um artigo que Napoleon Hill escreveu durante a Grande Depressão, provavelmente ao final de 1930, e que foi publicado na revista *Plain Talk*. Foi reimpresso em de *Napoleon Hill's Greatest Speeches* (Os maiores discursos de Napoleon Hill), (Shippensburg, PA: Sound Wisdom, 2016), 249–58. Esse trecho aparece nas pp. 256–57.

A fé permite ao indivíduo se aproximar a uma distância de comunicar-se com a Inteligência Infinita (ou Deus, se você preferir esse nome). O medo o segura pelo braço e faz essa comunicação ser impossível.

A fé cria um Abraham Lincoln; o medo desenvolve um Al Capone.

A fé desenvolve um grande líder; o medo cria um seguidor submisso.

A fé faz homens honestos nos negócios; o medo faz homens desonestos e dissimulados.

A fé faz o indivíduo procurar e encontrar o que de melhor existe nos homens; o medo revela somente suas falhas e deficiências.

*Liberte-se dos seus medos*

A fé inequivocamente se identifica olhando-se nos olhos de alguém, pela expressão de seu rosto, pelo tom de sua voz e forma como essa pessoa anda; o medo se identifica por meio das mesmas formas.

A fé atrai somente aquilo que é de ajuda e construtivo; o medo só atrai aquilo que é destrutivo.

O correto trabalha por meio da fé; o errado trabalha por meio do medo.

Qualquer coisa que cause medo em alguém deve ser bem examinada.

Tanto a fé quanto o medo têm a tendência de se transformar em realidades físicas, pelo meio mais prático e natural disponível.

A fé constrói; o medo destrói. A ordem nunca se inverte!

A fé e o medo nunca confraternizam. Ambos não podem ocupar a mente ao mesmo tempo. Um ou outro deve e sempre irá dominar.

A fé pode erguer um indivíduo a grandes alturas de conquista em qualquer ocupação; o medo pode e vai fazer a conquista ser impossível em qualquer ocupação.

O medo guia para o maior pânico que o mundo jamais viu; a fé o conduzirá para fora novamente.

A fé é uma alquimia da natureza, com a qual ela mistura e combina o espiritual com as forças física e mental.

O medo se mistura tanto com a força espiritual quanto a água se mistura com óleo.

A fé é o privilégio de todo homem. Quando exercida, ela remove a maioria das limitações reais e todas as limitações imaginadas com as quais o homem se conecta na própria mente.

Questionário de autoanálise:

# O quão suscetível você é a influências negativas?*

\*   Esse questionário é um trecho retirado do original, da edição não publicada de *Quem pensa enriquece*, de Napoleon Hill (Shippensburg, PA: Sound Wisdom, 2017), 363–67.

1. Você reclama frequentemente de se "sentir mal"? Em caso afirmativo, qual é a causa?

....................................................................................................

....................................................................................................

....................................................................................................

....................................................................................................

2. Você critica outras pessoas diante de uma pequena provocação?

....................................................................................................

....................................................................................................

....................................................................................................

....................................................................................................

....................................................................................................

3. Você comete erros frequentemente no trabalho? Em caso afirmativo, por quê?

....................................................................................................

....................................................................................................

....................................................................................................

....................................................................................................

....................................................................................................

*Liberte-se dos seus medos*

4. Você é sarcástico ou ofensivo ao conversar?

........................................................................................

........................................................................................

........................................................................................

........................................................................................

........................................................................................

5. Você deliberadamente evita associar-se com qualquer pessoa? Em caso afirmativo, por quê?

........................................................................................

........................................................................................

........................................................................................

........................................................................................

........................................................................................

6. Você sofre frequentemente com indigestão? Em caso afirmativo, qual é a causa?

........................................................................................

........................................................................................

........................................................................................

........................................................................................

........................................................................................

*Napoleon Hill*

7. Para você a vida parece fútil e o futuro sem esperança? Em caso afirmativo, por quê?

........................................................................................

........................................................................................

........................................................................................

........................................................................................

........................................................................................

8. Você gosta do seu trabalho? Em caso negativo, por quê?

........................................................................................

........................................................................................

........................................................................................

........................................................................................

........................................................................................

9. Você costuma sentir pena de si mesmo? Em caso afirmativo, por quê?

........................................................................................

........................................................................................

........................................................................................

........................................................................................

........................................................................................

*Liberte-se dos seus medos*

10. Sente inveja daqueles que se destacam mais que você?

...........................................................................................................

...........................................................................................................

...........................................................................................................

...........................................................................................................

...........................................................................................................

11. A que você dedica mais o seu tempo, pensando no SUCESSO ou no FRACASSO?

...........................................................................................................

...........................................................................................................

...........................................................................................................

...........................................................................................................

...........................................................................................................

12. Você está ganhando ou perdendo autoconfiança conforme está envelhecendo?

...........................................................................................................

...........................................................................................................

...........................................................................................................

...........................................................................................................

...........................................................................................................

*Napoleon Hill*

13. Você aprende algo valioso com os erros cometidos?

......................................................................................................

......................................................................................................

......................................................................................................

......................................................................................................

......................................................................................................

14. Você está permitindo que algum parente ou conhecido o aborreça? Em caso afirmativo, por quê?

......................................................................................................

......................................................................................................

......................................................................................................

......................................................................................................

......................................................................................................

15. Você algumas vezes "está nas nuvens" e em outros momentos, nas profundezas do desânimo?

......................................................................................................

......................................................................................................

......................................................................................................

......................................................................................................

......................................................................................................

*Liberte-se dos seus medos*

16. Quem tem a maior influência inspiradora sobre você?
Qual é a causa?

......................................................................................................

......................................................................................................

......................................................................................................

......................................................................................................

......................................................................................................

17. Você tolera influências desencorajadoras ou negativas
que pode evitar?

......................................................................................................

......................................................................................................

......................................................................................................

......................................................................................................

......................................................................................................

18. Você não se importa com sua aparência? Em caso
afirmativo, desde quando e por quê?

......................................................................................................

......................................................................................................

......................................................................................................

......................................................................................................

*Napoleon Hill*

19. Você já aprendeu como "afogar seus problemas" estando ocupado demais para ser perturbado por eles?

.................................................................................................

.................................................................................................

.................................................................................................

.................................................................................................

.................................................................................................

20. Você se consideraria um "covarde fraco" se permitisse que os outros pensassem por você?

.................................................................................................

.................................................................................................

.................................................................................................

.................................................................................................

.................................................................................................

21. Você negligencia sua limpeza interior até que a autointoxicação o deixe estressado e irritável?

.................................................................................................

.................................................................................................

.................................................................................................

.................................................................................................

*Liberte-se dos seus medos*

22. Quantas perturbações evitáveis o aborrecem, e por que você as tolera?

............................................................................

............................................................................

............................................................................

............................................................................

............................................................................

23. Você recorre a bebidas, drogas ou ao cigarro para "acalmar os nervos"? Em caso afirmativo, por que, em vez disso, não tenta se controlar?

............................................................................

............................................................................

............................................................................

............................................................................

24. Alguém "reclama insistentemente" de você? Em caso afirmativo, por qual razão?

............................................................................

............................................................................

............................................................................

............................................................................

*Napoleon Hill*

25. Você tem um PROPÓSITO MAIOR DEFINIDO? Em caso afirmativo, qual é e que plano você tem para alcançá-lo?

..........................................................................................................

..........................................................................................................

..........................................................................................................

..........................................................................................................

..........................................................................................................

26. Você sofre de algum dos [SETE] medos básicos? Em caso afirmativo, de quais?

..........................................................................................................

..........................................................................................................

..........................................................................................................

..........................................................................................................

..........................................................................................................

27. Você tem um método com o qual pode se proteger da influência negativa dos outros?

..........................................................................................................

..........................................................................................................

..........................................................................................................

..........................................................................................................

*Liberte-se dos seus medos*

28. Você deliberadamente faz uso da autossugestão para tornar sua mente positiva?

........................................................................................

........................................................................................

........................................................................................

........................................................................................

........................................................................................

29. O que você valoriza mais, suas posses materiais ou seu privilégio de controlar os próprios pensamentos?

........................................................................................

........................................................................................

........................................................................................

........................................................................................

........................................................................................

30. Você é facilmente influenciado pelos outros, contra o seu próprio julgamento?

........................................................................................

........................................................................................

........................................................................................

........................................................................................

*Napoleon Hill*

31. O dia de hoje adicionou algo de valor para o seu estoque de conhecimento ou estado mental?

........................................................................................................

........................................................................................................

........................................................................................................

........................................................................................................

........................................................................................................

32. Você enfrenta as circunstâncias que o fazem infeliz de frente ou evita essa responsabilidade?

........................................................................................................

........................................................................................................

........................................................................................................

........................................................................................................

........................................................................................................

33. Você analisa todos os erros e fracassos e tenta se beneficiar deles, ou age como se isso não fosse seu dever?

........................................................................................................

........................................................................................................

........................................................................................................

........................................................................................................

*Liberte-se dos seus medos*

34. Você pode nomear três das suas fraquezas mais prejudiciais? O que está fazendo para corrigi-las?

........................................................................................................

........................................................................................................

........................................................................................................

........................................................................................................

........................................................................................................

35. Você encoraja outras pessoas a dividirem suas preocupações com você por empatia?

........................................................................................................

........................................................................................................

........................................................................................................

........................................................................................................

........................................................................................................

36. Você escolhe, das suas experiências diárias, as lições ou influências que ajudam no seu desenvolvimento pessoal?

........................................................................................................

........................................................................................................

........................................................................................................

........................................................................................................

*Napoleon Hill*

**37.** Normalmente sua presença tem uma influência negativa em outras pessoas?

..................................................................................................

..................................................................................................

..................................................................................................

..................................................................................................

..................................................................................................

**38.** Quais hábitos das outras pessoas mais o irritam?

..................................................................................................

..................................................................................................

..................................................................................................

..................................................................................................

..................................................................................................

**39.** Você tem opiniões próprias ou permite ser influenciado por outras pessoas?

..................................................................................................

..................................................................................................

..................................................................................................

..................................................................................................

..................................................................................................

*Liberte-se dos seus medos*

40. Você aprendeu como criar um estado mental com o qual possa se proteger contra influências desencorajadoras?

........................................................................................................

........................................................................................................

........................................................................................................

........................................................................................................

........................................................................................................

41. Seu trabalho o inspira com fé e esperança?

........................................................................................................

........................................................................................................

........................................................................................................

........................................................................................................

........................................................................................................

42. Você sabe que tem forças espirituais com poder suficiente para lhe permitir manter a mente livre de todas as formas de MEDO?

........................................................................................................

........................................................................................................

........................................................................................................

........................................................................................................

**43.** Sua religião o ajuda a manter a mente positiva?

........................................................................

........................................................................

........................................................................

........................................................................

........................................................................

**44.** Você sente que é seu dever ouvir as preocupações das outras pessoas? Se sim, por quê?

........................................................................

........................................................................

........................................................................

........................................................................

........................................................................

**45.** Se acredita que "pássaros da mesma plumagem voam juntos", o que aprendeu sobre si mesmo ao estudar as amizades que você atrai?

........................................................................

........................................................................

........................................................................

........................................................................

*Liberte-se dos seus medos*

46. Qual ligação, caso exista, você enxerga nas pessoas com as quais se relaciona mais proximamente e os dissabores que você pode experimentar?

........................................................................

........................................................................

........................................................................

........................................................................

47. Seria possível alguma pessoa que você considera ser amiga ser, na verdade, sua pior inimiga por causa de uma influência negativa em sua mente?

........................................................................

........................................................................

........................................................................

........................................................................

48. Por qual regra você julga quem lhe é benéfico e quem lhe é prejudicial?

........................................................................

........................................................................

........................................................................

........................................................................

*Napoleon Hill*

49. Seus companheiros mais íntimos são mentalmente superiores ou inferiores a você?

...........................................................................................................

...........................................................................................................

...........................................................................................................

...........................................................................................................

...........................................................................................................

50. Quanto tempo das suas 24 horas você dedica:

a) ao trabalho

...........................................................................................................

b) a dormir

...........................................................................................................

c) a se divertir e relaxar

...........................................................................................................

d) a adquirir conhecimento útil

...........................................................................................................

e) ao puro desperdício

...........................................................................................................

*Liberte-se dos seus medos*

51. Quem, entre seus conhecidos:

a) mais o encoraja

...................................................................................................

b) mais o adverte

...................................................................................................

c) mais o desencoraja

...................................................................................................

d) mais o ajuda de outras formas

...................................................................................................

52. Qual é a sua maior preocupação? Por que você a tolera?

...................................................................................................

...................................................................................................

...................................................................................................

...................................................................................................

...................................................................................................

...................................................................................................

...................................................................................................

...................................................................................................

...................................................................................................

...................................................................................................

*Napoleon Hill*

53. Quando os outros lhe oferecem conselhos gratuitos, não solicitados, você os aceita sem questionar ou analisa seus motivos?

..........................................................................................................

..........................................................................................................

..........................................................................................................

..........................................................................................................

..........................................................................................................

..........................................................................................................

54. O que, acima de tudo, você mais DESEJA? Você tem a intenção de obtê-lo? Está disposto a subordinar todos os outros desejos por esse? Quanto tempo diariamente você dedica para alcançá-lo?

..........................................................................................................

..........................................................................................................

..........................................................................................................

..........................................................................................................

..........................................................................................................

..........................................................................................................

..........................................................................................................

..........................................................................................................

*Liberte-se dos seus medos*

55. Você muda de ideia frequentemente? Em caso afirmativo, por quê?

...................................................................................

...................................................................................

...................................................................................

...................................................................................

...................................................................................

56. Você normalmente finaliza tudo que começa?

...................................................................................

...................................................................................

...................................................................................

...................................................................................

57. Você se impressiona facilmente com os negócios ou títulos profissionais, nível de educação ou riqueza dos outros?

...................................................................................

...................................................................................

...................................................................................

...................................................................................

...................................................................................

*Napoleon Hill*

**58.** Você é facilmente influenciado pelo que as outras pessoas pensam ou falam para você?

.................................................................................................

.................................................................................................

.................................................................................................

.................................................................................................

**59.** Você cultiva as pessoas por causa do seu *status* social ou financeiro?

.................................................................................................

.................................................................................................

.................................................................................................

.................................................................................................

.................................................................................................

**60.** Quem você acredita ser a maior pessoa viva? No que essa pessoa é superior a você?

.................................................................................................

.................................................................................................

.................................................................................................

.................................................................................................

.................................................................................................

*Liberte-se dos seus medos*

61. Quanto tempo você dedicou a estudar e responder essas perguntas? (No mínimo, é necessário um dia para analisar e responder a lista completa.)

.............................................................................................

.............................................................................................

.............................................................................................

.............................................................................................

.............................................................................................

Se você respondeu sinceramente todas as perguntas, sabe mais de si mesmo do que a maioria das pessoas. Estude as questões cuidadosamente, volte a elas uma vez por semana durante vários meses e se surpreenda com a quantidade adicional de conhecimento de grande valor que terá ganhado para si mesmo por meio do método simples de responder ao questionário de forma sincera. Se não tem certeza com relação a algumas perguntas, procure aconselhamento daqueles que o conhecem bem, especialmente daqueles que não têm motivo para bajulá-lo, e você se verá pelos olhos deles. A experiência será surpreendente.

*Napoleon Hill*

Você tem o CONTROLE ABSOLUTO sobre apenas uma coisa, e essa coisa são seus pensamentos. Esse é o mais significante e inspirador de todos os fatos conhecidos pelo homem! Ele reflete a natureza divina do homem. A prerrogativa divina é o único meio pelo qual você pode controlar o próprio destino. Se falhar em controlar a própria mente, pode ter certeza de que não controlará mais nada.

Sobre o autor

# Napoleon Hill

Nasceu em 1883 em um chalé de um só cômodo em *Pound River*, em *Wise Country*, na Virgínia. Ele começou a carreira de escritor aos 13 anos como "repórter de montanha" para jornais de pequenas cidades e se tornou um dos autores motivacionais mais amado da América. Hill faleceu em novembro de 1970, após uma longa carreira de sucesso como escritor, professor e palestrante sobre os princípios do sucesso. A obra do Dr. Hill permanece como um monumento ao sucesso individual e é alicerce da motivação moderna. Seu livro *Quem pensa enriquece* é o *best-seller* de todos os tempos nesse segmento. Hill criou a Fundação como uma instituição educacional não lucrativa cuja missão é perpetuar sua

*Liberte-se dos seus medos*

filosofia de liderança, automotivação e sucesso individual. Seus livros, áudios, vídeos e outros produtos motivacionais estão disponíveis como um serviço da Fundação para que você possa montar sua biblioteca de materiais sobre sucesso individual... e para ajudá-lo a adquirir riqueza financeira e as verdadeiras riquezas da vida.

O propósito
da Fundação
Napoleon Hill é ...

- Fazer avançar o conceito de empreendimento privado disponibilizado pelo sistema americano.
- Ensinar aos indivíduos, pelo exemplo, como eles podem se erguer de um começo humilde para posições de liderança nas profissões que escolheram.
- Auxiliar jovens homens e mulheres a definir metas para suas próprias vidas e carreiras.
- Enfatizar a importância da honestidade, moralidade e integridade como alicerces do americanismo.
- Contribuir para o desenvolvimento dos indivíduos a fim de ajudá-los a alcançar seu potencial.
- Superar as limitações autoimpostas pelo medo, dúvida e procrastinação.
- Ajudar as pessoas a saírem da pobreza, de obstáculos físicos e outras desvantagens, para que atinjam altos cargos, prosperidade e as verdadeiras riquezas da vida.
- Encorajar os indivíduos a se motivarem para grandes conquistas.

The Napoleon Hill Foundation

www.naphill.org

*Uma instituição educacional não lucrativa dedicada a fazer do mundo um lugar melhor no qual viver.*

Para solicitar recursos
adicionais, por favor visite

https://www.soundwisdom.com/
think-and-grow-rich-napoleon-hill

Uma publicação oficial da
The Napoleon Hill Foundation
ADQUIRA SUA CÓPIA HOJE!

DISPONÍVEL NOS MELHORES
PONTOS DE VENDA

Livros para mudar o mundo. O seu mundo.

Para conhecer os nossos próximos lançamentos
e títulos disponíveis, acesse:

🌐 www.**citadel**.com.br

ⓕ /**citadeleditora**

📷 @**citadeleditora**

🐦 @**citadeleditora**

▶ Citadel – Grupo Editorial

Para mais informações ou dúvidas sobre a obra,
entre em contato conosco por e-mail:

 contato@**citadel**.com.br